# Le métier d'homme

*Alexandre Jollien*

# Le métier
# d'homme

e s s a i

Préface de Michel Onfray

*Éditions du Seuil*
*27, rue Jacob, Paris VI*

Ce livre est édité par
Jean-Claude Guillebaud

ISBN 2-02-052606-9

© ÉDITIONS DU SEUIL, OCTOBRE 2002

www.seuil.com

## La force du faible

Alexandre Jollien a subi – disons-le ainsi – un accident de naissance. Strangulé par son cordon ombilical, il a brièvement mais trop longuement rencontré la mort dans ces minutes inaugurales consacrées d'habitude à l'épiphanie de la vie. L'oxygène ayant manqué au cerveau, il porte en lui, avec lui, dans le creux de sa matière grise, la trace du souffle de la mort qui, jour après jour, dans le détail, se manifeste dans une démarche, une élocution et des gestes qui ne ressemblent pas à ceux des autres. Pas plus que son intelligence, d'ailleurs, ne ressemble à celle des autres : affûtée, pointue, vive, exercée, habile, et pour cause, elle soulève le moindre signe sous la pierre et décode le plus petit souffle de sens là où il se trouve. Débordant un corps répondant plus lentement aux sollicitations du monde, Alexandre Jollien déploie une pensée claire, lucide et voyante.

Ce jeune voleur de feu aux membres gourds propose un nietzschéisme qui, sans en avoir l'air, surclasse les lectures fautives de ceux qui clament haut et fort leur refus du philosophe à l'aigle (pour la clairvoyance du regard) et au serpent (pour le ventre au contact de la terre, du réel et du monde). Loin du nietzschéisme caricaturé en philosophie de la brutalité, de l'immoralité et de l'inhumanité, Alexandre Jollien affirme un nietzschéisme de la douceur, de la morale et de l'humanité – des vertus partout présentes chez le penseur allemand. Douceur qui appelle la force et, donc, refuse la violence ; morale qui surclasse la moraline au nom d'une éthique plus exigeante ; humanité qui dépasse l'humanisme des bonnes intentions au profit d'une autre considération des hommes. Car Nietzsche inaugure en philosophie le projet de rompre avec la haine de la vie infusée par le judéo-christianisme dans notre Occident fatigué. Et Alexandre Jollien, qui plus que tout autre pourrait en vouloir à la vie, ne pas l'aimer et se réfugier dans les vertus qui rapetissent, ne cesse de transfigurer son hapax existentiel – cette occurrence corporelle à partir de laquelle s'agence toute une vie – en occasion de paix, de sérénité et de joie. Dans ce *Métier d'homme*, l'écriture transfigure la douleur en or pur d'une confession, au sens augustinien, puis elle contribue à l'événement d'une parole libre, singulière, subjective, donc universelle. Loin d'être haïssable, le Je devient ici la matière du monde et le moyen d'un salut païen.

Alexandre Jollien transforme cette faiblesse dite par les autres en une force formulée par lui, pour lui. Retournant comme un gant le regard du tiers, dur souvent, méprisant parfois, négateur fréquemment, faussement oublieux ou vainement compassionnel, il porte un regard sur le réel qui contraint les plus arrogants à renoncer à leur morgue. Œil de chirurgien, d'anatomiste, œil d'entomologiste et de légiste, œil de moraliste – celui des grands fauves de la psychologie au format de Chamfort –, œil de fort qui s'appuie sur la faiblesse pour transfigurer cette géographie des abîmes en cimes où se retrouve Zarathoustra cheminant dans l'azur, l'œil d'Alexandre Jollien dispose d'une authentique pupille de philosophe.

Il affirme l'inanité du dualisme platonicien : il n'y a pas le corps (détestable) d'un côté et l'âme (vénérable) de l'autre, car le corps, c'est l'âme – l'âme, c'est le corps. Sa philosophie procède donc de cette idiosyncrasie personnelle, subjective : confession d'un corps, autobiographie de toute pensée, aveux d'une chair, écriture de soi avec son sang. On n'échappe pas aux généalogies corporelles... Je pense ce que je suis, et rien d'autre ne paraît possible, pensable ou envisageable. Et ce que je suis fournit ensuite matière à ce que je pense. Cogito existentiel imparable et irréfutable, matière première de toute entreprise philosophique.

Ce livre court, dense, maigre (pas d'artifices de style ou d'écriture, le geste même d'écrire lui est pénible) – debussyste pourrait-on dire –, formule un genre de version post-moderne du stoïcisme. Un genre de sur-stoïcisme – s'il fallait parler en termes nietzschéens – dont les caractères sont : une absence de haine (de soi, des autres et du monde) ; pas de traces de ressentiment (contre qui ou quoi que ce soit) ; nulle colère (contre Dieu, le destin, la fatalité, la médecine ou le sort) ; mais une immense, une incroyable adhésion à la vie, une coïncidence viscérale avec ce qui est : la malédiction d'une faiblesse infligée devient la chance d'une force créée. Alexandre Jollien donne ici la formule inaugurale d'un genre de relecture des sagesses du Portique.

Michel Onfray

*À Corine,*
*À Jean-Marc Flükiger et à Dominique Rogeaux.*

Le Métier d'homme *n'aurait pas vu le jour sans le*
*soutien inconditionnel de Jean-Claude Guillebaud,*
*André Gilloz et Pierre Carruzzo.*

*L'homme qui a écrit ce livre peut compter jour après*
*jour sur des amis qui l'accompagnent dans son combat*
*joyeux. Les lignes qui vont suivre leur doivent beau-*
*coup. Merci donc à mes parents, à mon frère, Franck.*
*Merci à Yvette, Marie-France et Hector Smith, Marie-*
*Madeleine, M.-F. Clément, Étienne, Jean-Philippe,*
*Massimo, D. Nelis, Antoine, Patrice Héritier et Nicolas*
*de Preux. Merci aussi à Josiane et Michel qui m'ont*
*ouvert les portes de la librairie « C'est écrit ». Ainsi, en*
*compagnie d'autres bibliophiles, j'ai affronté les mille*
*difficultés qui transforment souvent le clavier de mon*
*ordinateur en obstacle infranchissable.*

*Toute ma gratitude va enfin à tous les êtres, et ils sont*
*nombreux, qui m'invitent avec une discrète insistance à*
*me lancer dans la singulière aventure du métier d'homme.*

# Avant-propos

« On ne naît pas homme, on le devient[1]. »

J'aimerais unir ma voix, mes interrogations à celles de l'auteur de l'*Éloge de la folie*, prospecter à tâtons et rendre visite – sans souci d'exhaustivité et au gré des besoins – aux philosophes qui nous ont précédés pour leur emprunter çà et là des outils. Pourquoi ? L'exigence du quotidien oblige à tout mettre en œuvre pour risquer la singularité, assumer une place dans le monde, sauver sa peau. Risible projet ? Folie prétentieuse ? Peut-être. Ma condition me porte cependant à m'armer. Revers du sort, échecs, difficultés avec lesquelles on va bâtir une vie, tout invite à relever le défi implacable : *on ne naît pas homme, on le devient…*

Je suis handicapé. Démarche chaloupée, voix hésitante ; jusque dans mes gestes les plus infimes, mouvements abrupts de chef d'orchestre drôle et sans rythme : voilà le portrait de l'infirme.

1. Érasme, *Œuvres choisies*, Le Livre de poche, 1991.

13

Dans cette quête, l'expérience de la marginalité peut ouvrir quelque porte singulière sur notre condition. Partir à la rencontre du faible pour forger un état d'esprit capable d'assumer la totalité de l'existence, telle est l'intuition fondamentale et hasardeuse de ce périple, enjoué, souhaitons-le.

Dernière précision : lorsque j'emploie le mot « homme », j'embrasse évidemment... la femme.

# I

# D'un combat joyeux

L'existence procède de la lutte, je ne le sais que trop.

À l'angle de la rue, le bus se profile. La nuit tombe. J'embrasse une ultime fois mes parents. Déjà les portes électriques me happent. Chaque fois, je songe qu'elles m'arrachent à tout jamais à ma famille. Puis c'est l'odeur rassurante des sièges, la moquette rêche et sèche, le couloir étroit, les cendriers nauséabonds. Vite, je choisis une place près de la fenêtre pour consacrer les dernières minutes à m'emplir l'esprit d'images, celles de mes parents. Plus rien n'existe hors ces deux visages.

Rien ne peut s'opposer au départ, je le sais. L'autobus ne tarde d'ailleurs jamais à s'ébranler. Vite, toujours trop vite ! Un petit garçon fixe toujours ses parents. Il donnerait tout pour que la vitre se brise, pour que s'arrête le véhicule de son malheur. Déjà ils ne forment plus qu'un point qui s'évanouit dans le lointain, tout là-bas.

L'enfant pense à son sort. Passe encore d'être infirme, mais pourquoi le prive-t-on de ses parents ? Il ne le comprend pas. Il se remémore avec force les événements qui, dimanche après dimanche, recommencent comme un cérémonial : d'abord la grasse matinée, au milieu du père et de la mère, à l'écoute de leurs mots simples. Les contes de fées issus de leur imagination ont mission de transporter son esprit loin, le plus loin possible de ce jour maudit. Plus tard dans la matinée, j'observe les mouvements gracieux de maman. Elle s'active finement dans la cuisine. Nous sommes ensemble… Goûtant la vie familiale, je me trouve presque heureux à savourer pour un temps des charmes discrets, des joies simples, tout ce qui durant la semaine va faire défaut !

Même maternel, le ragoût exige une pénible mastication. Dans la rumination je perçois le symbole de la journée qui conduit inéluctablement à la séparation. Chaque instant avec maman porte immanquablement le sceau d'une absence toute proche. Interminable, l'attente menace chaque minute et pèse. Les yeux rivés sur l'horloge, je passe l'après-midi à endurer la vanité du présentateur de télévision, triste augure insensible. Puis ce sont les insipides et stériles séries, *L'École des fans*, autant de minutes pétries d'attente désespérée. Sur le coup de 18 heures, la voiture familiale quitte la maison bien-aimée pour regagner la ville et sa gare. Le père fait de l'humour pour nous détendre, en vain. Devant l'énorme édifice, des familles, touchées elles aussi par le handicap, attendent le bus chargé de nous amener à l'internat. Les secondes s'égrènent, lentes et douloureuses, paraissant pourtant, à mon souvenir, toujours trop courtes lorsque l'attente aura pris fin.

Alors, quand éclate près de moi le joyeux balbutiement d'un ami, je suis violemment arraché à la rêverie. On s'enquiert si tout va bien. La gorge serrée, je suis bien obligé de quitter le contact de la vitre glacée. Les regards des uns et des autres se croisent bientôt : ces visages lumineux m'accueillent. Tous tentent de conjurer la peine, tous partagent l'étrange condition : le nain sourit à pleines dents, le muet mène grand tapage. Seul le paralysé fixe encore le point que forment les siens.

Non, je ne suis pas seul à partager ce sort. La gorge se desserre, les complicités se renouent. L'autre vie, la vraie, reprend de force ses droits. Voilà ce que dicte la rencontre précoce avec l'isolement et la solitude : il faut que cela serve. Au combat ! Je dois mettre à profit la vie, trouver de la joie, sinon je suis perdu. Mais comment, comment donc ?

*

De bonne heure, l'existence s'est donc annoncée comme un combat. Les premières années de ma vie, je les ai vouées à la correction de la bête, à l'adaptation d'un corps rétif. La longue suite de ses dysfonctionnements exigeait mille efforts, il fallait y employer âme et corps, affronter les faux mouvements, maîtriser les spasmes, éviter les chutes, atteindre le lendemain sain plus que sauf. Souvent l'irrémédiable gagnait du terrain, souvent il semblait anéantir le présent. Chaque matin, le combat recommençait, les stratégies s'affinaient. Obstacle redoutable et reconnu, la résignation hostile était proscrite. Nulle astuce, nul effort ne pouvaient être épargnés. Loin de m'attrister, la lutte à livrer dispense sans trêve et de façon inattendue une joie authentique que j'ai invariablement retrouvée auprès des camarades qui m'entouraient. Soutenant le moral de cette singulière troupe, la jubilation venait couronner et transformer en triomphe tout progrès, toute réussite, même la plus insignifiante.

Ce que l'éthologie enseigne, l'infirme l'expérimente avec constance : les êtres organiques sont contraints, pour survivre, de combattre sans cesse contre leur état. Estropiés, nains, boiteux, thérapeutes, paralysés, voilà le milieu dans lequel je devais lutter et progresser. Curieux paradoxe : bien souvent, les situations les plus précaires disposent à la lutte. Interdisant la passivité, elles incitent au défi. On peut fort bien se résigner pour un doigt coupé, un cheveu sur la langue, des oreilles décollées, même pour un pied plat… Mais pour certains qui baissant la garde se condamnent à une existence en marge, voire à la mort, il est périlleux de se laisser aller.

### Tenir debout d'abord, la littérature ensuite !

Pour ma part, la perspective d'aller droit donne des ailes. Sans motivation, il est vrai, le combat paraît vain et l'effort dépourvu d'utilité. Qui croise le fer avec les mille épreuves du jour, qui, tout entier, tend sa volonté pour effectuer le geste quotidien le plus anodin, peine à entrevoir l'aspect libérateur de la culture. Ce que d'aucuns prennent pour de la paresse relève bien souvent d'une ignorance et d'un désespoir. L'incontournable Maslow[1] prétend que « chaque individu aspire à satisfaire divers types de besoins, des plus primaires – les besoins physiologiques (faim, soif, sommeil, etc.) – aux plus essentiels, l'accomplissement de soi. Les besoins supérieurs ne peuvent apparaître que si les besoins inférieurs sont déjà satisfaits ». Pour l'ignorant complet que je fus, l'école semblait procéder

1. A. Maslow, *Vers une psychologie de l'être*, Fayard, 1989.

19

d'un luxe dérisoire. Comment, relégués au rang de corvée, lecture et calcul pourraient-ils apporter le moindre secours à un apprenti bipède qui redoublait d'efforts seulement pour conserver un équilibre précaire ? La marche ou la maîtrise de la fourchette surclassaient, et de loin, le syllabaire et l'arithmétique élémentaire.

Dans mes efforts, je me sentais entouré. Un bref regard vers un voisin m'apprenait déjà que la lutte s'étend à tous mes camarades, sinon au genre humain tout entier.

Or, la vie à côté des autres exigea bientôt un nouveau combat : vivre en commun. La cour de récréation offrait un étrange spectacle au nouveau venu. Casqué (pour éviter la commotion), je déambulais au milieu des boiteux, slalomais en dépit du bon sens entre les chaises roulantes, essayais de m'entendre avec la sourde. Le caractère abîmé de ces existences cabossées s'imposa donc. À travers le branchage des arbres, je me risquais parfois à pressentir l'autre monde, la ville, les badauds, les autres… Sous le casque mille interrogations, sur les lèvres un seul mot, hésitant : pourquoi ?

L'incompréhension force à tout mettre en œuvre pour échapper à la cruauté absurde du moment et lui opposer une franche résistance.

Ainsi, avec ce mot à la bouche, je retournais, seul, dans ma cour. Au milieu des jeux, je chassais la tristesse. La compagnie finit par m'aider. Le soutien inconditionnel, les marques d'affection que je recevais m'incitèrent alors à donner à mon tour, mais cette « philanthropie » débutante se situait, sans pour autant l'exclure, en deçà de toute morale. Un esprit chagrin ne verra dans ce lien que l'expression d'une alliance générée avant tout par l'adversité. Soit, mais cela empêche-t-il qu'une authentique amitié s'y greffe et qu'elle la dépasse ? Au milieu des cris, des pleurs et des éclats de rire, j'ai appris la vaine et stérile cruauté de l'égoïsme, la douceur simple du geste consolateur. Devant un sort peu clément, l'union supplante la lutte.

*

Suivie de bien des lectures, une rencontre m'a appris la valeur insoupçonnée d'un nouveau combat. Près de la pension vivait parmi les livres un homme âgé, l'aumônier de l'internat. Il opposait à sa santé précaire une joie souveraine qui exerça sur moi une curiosité faite d'abord d'incompréhension, mais bientôt pétrie d'admiration. Pour la première fois je prenais conscience que l'esprit (ou l'âme, comme on voudra) mérite quelque attention. Adolescent, j'ai deviné auprès du vieillard les charmes de la philosophie, les délices des *choses de l'esprit*. Dès lors, deux hommes veillèrent souvent à la lueur d'une lampe studieuse. Les discussions roulaient, les arguments s'affûtaient. Je m'armais pour la vie. Les yeux usés ouvraient ceux du jeune homme, les oreilles que l'outrage du temps avait bouchées écoutaient sans complaisance les rumeurs confuses d'un cœur gonflé d'incompréhension. Je lui disais les seize années d'institution, mon désarroi, l'étrange sentiment d'appartenir à un autre monde, monde riche, passionnant bien sûr, mais difficile pour l'être privé de ceux qu'il aimait. Le père bourrait méticuleusement sa pipe tandis que l'infirme parlait toujours, de l'internat, des camarades. Au cœur de la nuit, dans la bicoque, j'apprenais à exister.

Que dire des feux allumés par ce penseur discrètement éclairé dans un individu préoccupé sans mesure par les exigences d'un corps aux mille dégâts… ? Au soir de sa vie, le prêtre léguait son héritage, en complète admiration devant un corps dur et tendre à la fois et devant un esprit obscurci par l'épreuve mais dont il sentait croître les forces. L'homme aux joues creuses, aux dents jaunies, qui devait bientôt mourir, œuvrait consciemment à la naissance d'un projet dont il ignorait tout. La construction de l'esprit, telle serait désormais la grande affaire, la terre promise. Restait à trouver le chemin. J'allais m'y employer avec gourmandise.

J'ai pressenti que le nouvel état si convoité permettrait de jeter un regard surpris sur la réalité, et de sauver la peau d'un prisonnier des entraves quotidiennes. La lutte entamée jadis contre le dysfonctionnement du corps envahissait le terrain tortueux de la pensée. Les exercices de prononciation, les étirements réalisés sur les muscles trouvaient leurs prolongements dans la délicate recherche d'une identité, dans l'élaboration d'une personnalité. Devant l'étrangeté de ma condition, je devais m'outiller. Voilà la seule évidence sur mon chemin !

Plus tard, en lisant Nietzsche, j'ai découvert la même soif, le même désir. Le philosophe qui invite à l'éternel dépassement de soi m'instruit : pour sauver ma peau, chaque pas est à inventer. Me mettre en marche, voilà ce qu'exige l'insoutenable précarité de mon être.

Cette tension, je la crois à l'œuvre chez plus d'un. Boris Cyrulnik confie avoir étudié la psychiatrie pour « régler un compte ». Après avoir assisté à la déportation de ses parents vers un camp de concentration auquel il échappera de justesse, il met son talent au service de l'homme. Le médecin éthologue s'empresse d'ajouter qu'il s'agit d'une noble motivation. Il cite Pierre Feyereisen[1] : « Les enfants, les femmes, les étrangers,

---

1. Boris Cyrulnik, *Les Nourritures affectives*, Odile Jacob, 2000.

les Noirs, tous ceux qui ont eu à souffrir des autres deviennent souvent de meilleurs observateurs que ceux dont la personnalité se développe sans cet effort d'attention. » Dans son journal hédoniste Michel Onfray[1] emploie la même expression pour éclairer sa vocation littéraire. Il énumère d'illustres noms qui trouvent dans leur art un moyen d'échapper à d'anciens démons. Les adversités rencontrées constituent ainsi un terreau sur lequel l'existence va se construire. Sans culpabiliser ceux qui ne s'en sortent que difficilement, contentons-nous de nous référer à ces biographies qui rappellent que rien n'est à jamais « perdu ».

Fort de ce nouveau projet, j'ai donc commencé à transformer la précarité omniprésente de mon état en une source, un aiguillon. La faiblesse, cette fidèle compagne, prenait une dimension nouvelle. En somme, je tentais de l'assumer : le monde porterait la marque de ma fragilité, tout me le signalait. Mais une fois ce curieux constat établi, sa conquête hasardeuse pouvait commencer… dans la liberté et la joie.

Celui qui dès sa naissance côtoie la souffrance ou la douleur entame l'existence pourvu d'un réalisme bienfaiteur. En définitive, trop tôt avisé que la vie s'accompagne inexorablement

---

1. Michel Onfray, *Le Désir d'être un volcan*, Grasset, 1996.

de peines, il sombre moins aisément dans le découragement et, savourant la nécessité du combat, reconnaît et déjoue plus aisément la cruauté de son adversaire.

Je me souviens ainsi de l'angoisse qui me gagna quand, désemparés, mes parents n'eurent d'autre choix que de me laisser en internat, au milieu d'enfants eux aussi frappés par le handicap. La douceur peinte sur leurs visages accentuait par contraste la cruauté du moment. Quant à leurs sourires, ils achevaient d'accentuer mon malaise. Instants d'une intensité vertigineuse, où les entrailles semblent se consumer, les tempes éclater. Le temps s'immobilise, les repères s'effondrent, l'univers se vide… Puis le calme reparaît. Un regard échangé, une voix amie reconstruisent ce qui a été englouti. Le sourire qui revient alors aux lèvres, hésitant, proche du sanglot, rappelle que la lutte continue, que nous sommes embarqués, que toute halte serait fatale. Le dos au mur, je cherche le moyen de bâtir un état d'esprit capable de me sauver la vie.

Dans un couloir froid d'internat, sous la violence impersonnelle d'un néon, j'ai éprouvé pour la première fois l'obligation absolue de donner du sens à chaque expérience. Chacun des êtres qui m'entouraient m'aiderait à affronter l'abrupte nécessité de la lutte.

Toute ma vie – je l'ai bien compris – je m'emploierai à construire sur la douleur, sur le vide, sur la menace qui submergent, de la joie.

\*

Loin de moi l'envie de tout maîtriser, je me priverais de l'essentiel ! Ce désir totalisant relève d'ailleurs de l'utopie, d'un banal réflexe sécuritaire. Ce que je puis, du moins, c'est me préparer. Comment ? Peut-être en observant les êtres blessés qui partagent mon sort. L'escrimeur qui bondit vers son adversaire en effectuant des entrechats semble incarner la pure grâce, la pure gratuité. Pourtant, que d'heures consacrées à l'entraînement, à l'exercice, et qui font de lui un athlète si adroit ! Sa légèreté, sa liberté naissent d'un travail assidu. Sur le terrain de la vie quotidienne, le même travail et la même préparation sont requis. Baisser les bras, se résigner équivaudrait, pour reprendre un mot de Nietzsche, au sabbat des sabbats, à la mort. L'homme demeure un être inachevé pour qui tout reste à conquérir. Une fois la peur assumée, cette exigence fascine. En elle réside assurément une des plus belles grandeurs de l'homme, même si son prix paraît démesuré, par trop oppressant.

Devant la grande inconnue de l'avenir, il s'agit de sculpter (comme un sportif sculpte son corps) l'existence pour assumer la totalité de ma condition. Les expériences les plus malheureuses, comme d'ailleurs les instants de jubilation, deviennent, il le faut, une opportunité pour devenir meilleur. Il ne s'agit pas ici de justifier la douleur ni les moments creux qui torturent et souvent isolent. Je suggère seulement de les mettre à profit pour qu'ils ne prennent pas le dessus. La tâche est rude, l'exercice périlleux, mais vital. Que d'obstacles l'escrimeur affronte-t-il dans la pratique de son art !

Les philosophes de l'Antiquité se désignent volontiers comme *progredientes*, comme des hommes qui sans cesse doivent progresser. J'aime cette volonté lucide sur la précarité de notre condition. Pour ces hommes avisés, le quotidien apparaît comme un terrain d'exercice permanent. Le moment le plus insignifiant devient ainsi une occasion de se fortifier. Sans dédaigner le *body building*, Grecs et Latins nous convient surtout au *soul building* ! Or les urgences futiles du jour nous détournent souvent de cet idéal. Sur ce point, le faible ne serait-il pas avantagé ? Ne sent-il pas que suspendre la lutte, c'est risquer la chute ? Mais comment rebondir face à la souffrance ? Nulle recette, nul mode d'emploi à disposition ! Cet art décliné au quotidien ne se trouve guère dans les livres, encore moins dans les modèles que les médias nous infligent. Où donc le trouver ?

Je souhaite une nouvelle fois diriger le regard vers ceux que Schopenhauer[1] nomme les *sociis malorum*, vers les compagnons d'infortune, nos compagnons d'épreuve : telle vieille femme croisée au détour de la rue, tel clochard qui scandalise les badauds, tel paralysé, tel « paumé » qui nous installe dans la pitié, tel voisin grincheux, tous ces individus cherchent à tenir debout, à « aller droit », à trouver leur équilibre, une dynamique, un état d'esprit qui permettent la survie.

Pascal, à la suite d'Aristote, pense que derrière chaque acte posé par l'homme se trouve la recherche volontaire du bonheur. Présente derrière la gifle comme derrière la caresse, elle anime tout homme et constitue le but de toutes ses actions. Même celui qui veut se pendre fait une « tentative »…, il recherche une moins grande souffrance. Voilà une invite au respect. Celui qui me meurtrit croit, honnêtement peut-être, améliorer son sort. Même s'il emprunte une autre voie, condamnable parfois, il partage avec moi la même aspiration, celle du bonheur.

Souvent ce combat joyeux, voleur de temps et d'énergie, semble trop ardu, trop exigeant. Devant un si grand labeur, où trouver force et ressources, sur quoi fonder la volonté de résister ?

1. Arthur Schopenhauer, *L'Art d'être heureux*, Seuil, 2001.

La question contient, déjà, une amorce de réponse. Il s'agit bien de la volonté que l'on entretient comme une flamme. Par une bien curieuse dialectique, le manque peut ainsi devenir une source, un élan vers plus de bonheur. Me sachant démuni, je vais tout mettre en œuvre pour m'en sortir. La blessure appelle donc son joyeux contraire.

L'art de tenir debout, de maintenir le cap suppose précisément un horizon plus heureux vers lequel se diriger. Ce qui mine cette progression, ce n'est pas la souffrance, ni l'échec, mais le désespoir. Cesser d'espérer, c'est s'avouer vaincu sans même relever le défi, c'est rendre vain chacun de nos efforts. La formation de la personnalité exige, comme singulier point de départ, un dépouillement radical : se (re)connaître vulnérable, perfectible, prendre conscience d'évoluer en terres incertaines, essayer de savoir pourquoi l'on combat… joyeusement.

## II

# De l'unicité de l'homme

Je suis un anormal. On l'a dit, assez. Je l'ai senti. Les mouvements des yeux qui passent à l'examen chaque parcelle de mon être me l'apprennent : tel regard fixe le mien puis descend, là précisément où se trouve la preuve qu'il recherche : « il est handicapé ». Parcours des yeux, quête insistante du talon d'Achille, de la faiblesse… Ce que la plupart des gens perçoivent, c'est l'étrangeté des gestes, la lenteur des paroles, la démarche qui dérange. Ce qui se cache derrière, ils le méconnaissent. Spasmes, rictus, pertes d'équilibre, ils se retranchent derrière un jugement net et tranchant, sans appel : voici un débile. Difficile de changer cette première impression, douloureux de s'y voir réduit sans pouvoir s'expliquer. Le dialogue est impossible car ce qui vient d'un débile est débile. Ainsi le cercle se ferme, le contact devient impossible.

Un nom suffit à qualifier la tare : « athétose ». Ce mot grec me suivra-t-il donc toute ma vie ?

31

Cette appellation d'infirmité contrôlée reste pour moi sans effet car elle est bien trop vaste et peu compréhensible. Pour d'autres, un diagnostic trop prompt constitue la perte de la liberté. Le mot représente une chaîne à laquelle est liée l'existence, la prison dans laquelle on enferme un individu. Le terme devient plus lourd que la réalité qu'il prétend désigner. Quand mon voisin disparaît sous l'étiquette de dépressif, quand autrui n'apparaît plus que comme le diabétique, le veuf ou le Noir, la réduction à l'œuvre dans maints regards pèse, meurtrit la personnalité et ouvre des plaies secrètes.

Le pire, c'est que j'ai longtemps cru que ces étiquettes étaient vraies, que l'équation : handicapé = malheureux est une loi établie, prouvée, incontestable. Même le médecin me certifia que je ne pourrais, par exemple, pas avoir accès à l'école officielle. L'étiquette, scientifiquement attestée, ne pouvait être décollée. Combien de diagnostics à l'emporte-pièce enferment, réduisent et condamnent tout espoir !

Or la fixité même du jugement réduit la richesse du réel, de l'être humain devant lequel on devrait au moins s'étonner, à défaut d'oser s'émerveiller. Car l'expérience quotidienne vient quelquefois délicieusement ruiner ces vérités établies. Le paralysé que tous (pré)disaient malheureux soutient le moral de qui le côtoie, cependant que l'élite intellectuelle, promise à une somptueuse carrière, sombre dans un mal-être sans mesure. Pourtant « il a tout pour être heureux ». L'énoncé confine à l'ineptie. Le bonheur se confectionnerait-il comme une brioche ? Une pincée de santé, deux cuillères de…

Y aurait-il des ratés ?

L'être humain, je le crois, s'inscrit dans une complexité qui force l'étonnement. Peut-on réellement le cerner avec des « dépressif », « blond », « à pieds plats », « Noir », « égoïste » ? Ces indications nous aident-elles vraiment à appréhender le mystère qui habite chaque individu ? J'y vois plutôt un danger. Il ne s'agit évidemment pas de s'interdire tout jugement, mais d'éviter la blessure engendrée par des considérations trop hâtives, de s'astreindre au moins à regarder mieux, autrement… avec dépouillement.

Derrière les mots se cache un être, une personnalité riche, unique, irréductible que le poids des préjugés finit par recouvrir d'une couche fièrement catégorique. Ce vernis exclut une approche simple et innocente. La chaise roulante, la canne blanche, voilà ce qui saute aux yeux. Mais qui, avec virtuosité, utilise le fauteuil roulant, qui manipule la canne ? Le voit-on, veut-on le voir ? Et pourquoi de tels accessoires seraient-ils nécessairement les signes du malheur ? C'est aussi la raison pour laquelle, puisqu'il faut se méfier des généralités et considérer l'individu dans sa vérité (toujours plus dense que ce qui est visible), ces signes extérieurs interdisent d'imaginer l'aveugle… heureux.

La réflexion sur la normalité me hante jusqu'à la passion. Elle m'assure bien des tourments, bien des blessures. Au début, je brûlais d'être comme tous les autres. J'aurais tout donné pour devenir enfin normal. Je me précipitais ventre à terre hors de l'internat afin de voir, toucher, sentir, connaître un « individu normal ».

La tradition propose un large éventail de caractéristiques pour distinguer l'homme des autres créatures du monde. Vaste programme ! En voici quelques-unes, cocasses[1] : Descartes propose la parole, le fantasque Rabelais célèbre le rire, alors que Brillat-Savarin découvre, dans la faculté de distiller des fruits pour en faire de la liqueur, le moyen de prouver qu'il est un homme. Beaumarchais suggère que boire sans soif et faire l'amour en tout temps nous différencient des autres bêtes. Enfin, Valéry écrit que celui qui sait faire un nœud appartient à la race humaine. Par leur aspect déroutant, ces tentatives de définition ont tout simplement le mérite de mettre en évidence, non sans humour, la difficulté de cerner l'être humain. Selon le critère de Valéry, je ne suis pas un homme, le roi des animaux peut-être,

1. Tirées de Léon-Louis Grateloup, *Cours de philosophie*, Hachette, 1990.

mais pas un homme. Et que pourrait bien faire Descartes d'un muet ?

Une définition par trop simpliste est donc dangereuse. Elle détermine abusivement ce qui est normal ou non et engendre une mise à l'écart, voire une exclusion. Toute réduction qui circonscrit l'homme en niant l'unicité de l'individu confond l'accident et la substance. Semblable méprise recouvre des formes souvent insidieuses. Un sourd me dit un jour qu'il était fier d'être sourd. Pour ma part, je ne me suis jamais senti fier ni de mes spasmes, ni de mon handicap. Une seule fierté m'habite : être un homme avec des droits et des devoirs égaux, partager la même condition, ses souffrances, ses joies, son exigence. Cette fierté nous rassemble tous, le sourd comme le boiteux, l'Éthiopien comme le bec-de-lièvre, le juif comme le cul-de-jatte, l'aveugle comme le trisomique, le musulman comme le SDF, vous comme moi. Nous sommes des Hommes !

### *Tous des « cas sociaux » ?*

L'expression est effrayante. Des cas sociaux, j'en ai longtemps côtoyé. Dès que j'aperçois un spécimen, je demeure sur mes gardes. Or, une fois le cas connu, la peur disparaît. Je ne peux d'ailleurs que nous trouver quelques ressemblances. Donc, comment ne pas m'interroger : « Diable ! Serais-je moi-même un cas ? » et ce voisin avec ses drôles de manières, ce professeur qui récite à haute voix des vers ? Voilà de bien joyeux cas… Et tel écrivain, tel artiste ? La liste est longue… Qui subsistera ?

Chaque homme est, à sa mesure, un cas, une délicieuse exception. Et une observation fascinée, puis critique, transforme souvent l'être anormal en maître ès humanité.

# III

# De la souffrance
## ou l'art de mettre les voiles

En préambule à ses conférences, Paul Valéry aimait à répéter : « Je viens ignorer devant vous. » Excellente entrée en matière pour aborder une réflexion sur la souffrance. Qui peut se targuer de maîtriser quelque sujet et de produire par son discours le moindre effet ? Les mots restent vains face à un corps terrassé par la douleur, à un cœur privé de l'être cher, à une solitude subie au fil des ans. Pourtant, le combat joyeux ne saurait faire l'impasse de la question du mal qui sévit, des tourments qui accablent, des peines qui écrasent. Le *progrediens*, vous, moi, doit proposer une réponse, ou du moins tenter d'en chercher une face à ce qui décourage, meurtrit et blesse. L'espérance qui nous motive ne s'enracine-t-elle pas précisément dans la certitude, sans appel, qu'il faut tirer profit de chaque expérience, et surtout des plus cruelles ?

L'homme est ainsi fait : chaque jour il livre un combat, essaie de survivre, de devenir meilleur, peut-être. Mais que d'obstacles le guettent quand il se heurte à l'ennemie de son progrès, l'unique peut-être : la souffrance qui, avec le désespoir, ronge de l'intérieur, qui étend ses ravages au milieu de la foule comme dans la pièce la plus isolée. Elle semble toujours la plus forte et revêt diverses formes cruelles dont l'opiniâtreté désarme même la sagesse la plus inflexible ! Ici, la notion de mal évoque évidemment autre chose que les petits maux que la médecine – pour notre bonheur – balaie à coups de pilules. En plus des tourments que la psychologie prétend soulager, en quelques séances, existe une souffrance fondamentale qui appartient à la nature humaine et demeure imparable…

On peut cacher cette souffrance ou choisir (souvent avec quelque complaisance) de l'exhiber. Sa force et sa ténacité obligent cependant chacun à se tenir sur ses gardes. L'affronter de face apparaît souvent impossible. Insensible aux expédients, elle persiste comme une marque indélébile qui rend vain l'effort, résiste à toute tentative d'effacement.

*

Le métier d'homme, art de vivre fatal que chacun pratique au quotidien – souvent sans le savoir –, exige par conséquent bien des ressources, une constante ingéniosité déployée pour faire de la vie une victoire, pour assumer sa condition… Voilà la grande affaire qui motive chacun de nos combats et guide ma quête. Je veux donc bien, dès l'abord, avouer mon extrême faiblesse. Parler de la souffrance, pire, la vivre dans sa chair est une épreuve redoutable que le métier d'homme interdit d'éluder. Une personnalité ne trouve précisément sa quintessence que dans la virtuosité qu'elle déploie pour surmonter le mal.

Pour garder sauf l'entrain qui nous anime, il convient de tirer du quotidien et des mauvais jours quelque fécond outil adapté à l'échec. Cette quête fait de l'homme un apprenti emprunté, placé devant une vertigineuse et obscure obligation : faire de sa vie une œuvre, forger une personnalité digne d'assumer pleinement la totalité de l'existence.

Se lancer dans la construction de soi me place devant un abîme car il s'agit avant tout d'exercer sa lucidité, de savoir sur quoi l'on bâtit. Un bref regard sur la condition humaine suffit, en effet, à mettre en lumière son caractère tragique. Alors, résignation ?

Là, précisément, s'amorce ma réflexion sur les blessures, les douleurs, les angoisses, la menace qui un jour finira par se concrétiser. Marguerite Yourcenar place dans la bouche de l'empereur Hadrien un constat qui situe l'homme : « Quand on aura allégé le plus possible les servitudes inutiles, évité les malheurs non nécessaires, il restera toujours, pour tenir en haleine les vertus héroïques de l'homme, la longue série des maux véritables, la mort, la vieillesse, les maladies non guérissables, l'amour non partagé, l'amitié rejetée ou trahie, la médiocrité d'une vie moins vaste que nos projets et plus terne que nos songes[1]. » Tel est, tôt ou tard, le lot commun, je ne le sais que trop. Mais où chercher les vertus à même d'adoucir la dureté de l'existence et comment forger l'état d'esprit, l'arme à opposer à l'ennemi ?

Peut-être sied-il de partir de l'unique certitude, de la perspective du néant dont nous procédons et vers lequel nous sommes précipités chaque jour ? Au cœur même des réjouissances, le tragique nous précède, tant que nous vivons. Le nier, c'est en quelque sorte le mettre au premier plan. Complice ou adversaire, il constitue la toile de fond, la substance même de ma condition. Un tel constat est évidemment loin de mettre en joie. Pascal l'avait vu. On cherche à fuir le tragique dans les jeux, dans l'action ;

1. Marguerite Yourcenar, *Mémoires d'Hadrien*, Gallimard, 1974.

même l'activité la plus modeste vise à nous en éloigner : tout plutôt que de réaliser que l'homme, voué à la mort, n'échappera guère à sa part de souffrance. Nul besoin de s'appeler Bouddha, ni d'avoir tenu la posture du cobra tous les mardis soir, pour prendre conscience que rien n'est sûr, sinon la mort. Me voilà placé devant l'abîme, seul, sans recours philosophico-théologique. Va-t-on expliquer à une mère éplorée que le tragique visite chaque famille, que tout le monde y passe ? Elle s'en moquera et elle aura raison. Aucun de nos maux n'a d'excuse. Et quand bien même en aurait-il, nous en porterions-nous réellement mieux ? Connaître l'éventuelle utilité de son mal ne soulage guère le malade. Savoir pourquoi la souffrance existe n'adoucit ni les peines du moribond, ni les plaies de l'enfant battu, abandonné. Même théoriquement élucidé, le problème du mal resterait un drame existentiel.

Devant un tel désarroi et sans prétexte à la souffrance, vais-je sombrer dans le nihilisme, abdiquer face à un monde où souffrance et mort triomphent ? Entre illusion et cynisme désabusé, je peux laisser la question en suspens et tâcher de vivre – dégagé, tranquille – mais ma vie l'interdit. Il faut s'engager ou au moins consentir, sinon le combat si exigeant tournerait vite court. Le tragique est là, moi aussi ! Entre deux, tout reste à bâtir. Il n'y a guère le choix. Ni modèle, ni solution, ni réponse toute faite, ni mode d'emploi ne sont disponibles. Chacun y va à tâtons, essuyant des échecs, bâtissant sur ses ruines.

### Du tragique comme source

Parfois se produit le retournement : le tragique instruit. Qui le côtoie se forme. La sagesse fécondée par la souffrance, l'échec ou le tourment, nourrie par les obstacles vaincus au jour le jour, sera sans doute de quelque utilité. Assurément, l'oreille doit se dresser, la volonté se tendre pour que la voix discrète se fasse entendre, pour qu'un espoir rejaillisse là où on l'attendait le moins. Voici donc le premier défi : modeler une vie, sculpter l'existence sur du sable, avec, pour guides, aussi les plus paumés, précurseurs meurtris qui contre toute logique luttent, proposent un sens, fragile, sans cesse menacé. Ils tirent profit de tout, même de la souffrance.

Ce travail procède d'un réalisme froid, tranché. Toute vie est fragile, vulnérable, à la merci du premier incident. Demain, je puis me trouver cloué sur un lit, mourir, perdre un être cher. Une fois né, l'homme est promis au pire. Vais-je en rester là ? Certes, non ! Ce constat sombre mais avisé ne peut qu'être propédeutique : je dois en assumer le poids ahurissant, puis tenter de le dépasser.

Pour qui se risque à renoncer aux illusions, la précarité même de la vie « risque » de devenir alors une source. Sachant désormais à quoi m'en tenir, me voici obligé d'engager le combat. À nouveau, les plus faibles prennent valeur d'exemple. Chez eux, la vulnérabilité crève les yeux, et ils ne la cachent pas, conscients que la vie s'accompagne irrémédiablement d'un lot déconcertant de souffrances. S'adaptant sous la contrainte, ils mettent tout en œuvre pour percevoir et construire quelque beauté. Il n'y a rien à perdre puisque tout est déjà perdu d'avance ! Tout ce que je construis, je l'arrache, pour un temps, à l'emprise de la souffrance ; toute la joie que je donne, je l'oppose à la tristesse, à la solitude. Rien n'est grave, puisque tout est grave. Chaque minute portant l'empreinte secrète du tragique, de la mort toute proche, il conviendra de l'habiter, d'y placer force et joie. Loin de terrasser, ce constat convie à une légèreté. Aucune naïveté, nulle insouciance dans cet état d'esprit pétri de profondeur.

La légèreté fournit à l'apprenti du métier d'homme un outil bien précieux, une force inédite capable de dynamiter le monde. Fort éloignée de l'optimisme obtus de l'ingénu, elle rend souvent florissantes des solitudes ou des souffrances surmontées. Sa nature la dépouille de tout artifice, la transforme en une joie qui pressent la précarité de tout. Singulier paradoxe : bien des « bonnes volontés » engagées dans quelque œuvre humanitaire s'initient à cette joie insolite et inattendue sur des terrains qui ne leur annonçaient que misère et désolation.

Qui adopte la légèreté, subtil antidote au désespoir, éprouve les dangers d'une révolte grimaçante, devine que la souffrance ne fait pas que vivre des saints ou des sages. Devenir léger, c'est accepter humblement le sort après avoir tout tenté pour éradiquer son ombre, affirmer une résistance là où priment la révolte et la colère, c'est refuser que la rage ou la haine viennent aliéner la liberté. Être léger, c'est donc recourir de force à la joie contre ce qui aigrit, contre ce qui isole, épauler celui qui souffre pour qu'il ne se claquemure pas dans son mal-être. La légèreté *va contre*, elle *contre* ce qui rétrécit.

Fécondée par autrui, elle peut s'incarner dans le sourire ou la poignée de main que deux compagnons d'infortune partagent pour chasser le désespoir. Elle inspire les paroles d'encouragement, se propage dans l'humour salvateur, libère celui qui lutte contre le désarroi, elle se réjouit du plus infime progrès et ignore le ressentiment qui ne tarde pas à engendrer le mépris de ses semblables. Il est fort délicat de conserver de la confiance, de maintenir un rapport à soi serein lorsque la maladie, le désespoir s'installent ; bientôt, avec le mal, c'est la vie tout entière qu'on haïra. En dépit des envieux, des grincheux ou des vengeurs, l'adepte de la légèreté relève donc le défi d'accueillir l'existence, de l'embellir chaque jour. Sur son chemin, la présence de l'autre consolide sa persévérance. Dès lors, pour assumer une difficulté qui désarme, il s'ouvre et consent à trouver une aide, à risquer la rencontre.

La légèreté oblige aussi à ne pas sombrer dans la haine de soi. La force qui résiste à cette sinistre menace éclaire parfois le visage des souffrants. À contempler leurs traits, on puise un encouragement. Mais le vainqueur se trouve souvent dans le mauvais camp : alors le mal triomphe et engendre des personnes blessées, tristes, fermées, acariâtres.

Oui, il faut le postuler, ce sont des victimes dont les sautes d'humeur et le repli sur elles-mêmes trahissent surtout l'impuissance. Socrate disait que « nul n'est méchant volontairement ». Oui, derrière la méchanceté – si l'on creuse – se trouve presque toujours une plaie ouverte, la frustration de l'échec. Les bouddhistes ont illustré magnifiquement cette douloureuse dialectique ainsi : lorsqu'un homme te bat avec un bâton, tu n'en veux point au bâton. Il t'a frappé, certes, mais ce n'est pas lui le responsable.

Réfléchis! L'homme qui t'agresse, pas plus que le bâton, ne mérite ta colère, ta haine. La blessure, voilà la vraie coupable, celle qui instrumentalise l'homme aussi bien que le bâton. Le message de cette fable s'applique à merveille à la souffrance et constitue une nouvelle invite à la tolérance.

Quoi de plus ridicule que la peur d'une souris? Une phobie qui prête à rire peut détruire, anéantir l'individu. Vécue de l'intérieur, elle risque de prendre des dimensions insoupçonnées, révéler la solitude du souffrant.

On ne perçoit que des bribes de l'angoisse subie par l'autre, de la douleur d'un malade, on ne pressent que la présence. Si la joie, le bonheur se partagent aisément, la souffrance répugne, elle fait honte et isole. S'y greffe dès lors une autre torture : être jugé, incompris, porter seul un poids trop lourd quand plus que jamais une écoute amicale allégerait le tourment. Se mettre à la place du souffrant, voilà un exercice ardu. On peut au moins être là, tenter de réconforter, et surtout s'abstenir de juger. Dans la souffrance, une présence, aussi discrète soit-elle, surclasse – et de loin – les discours qui prétendent tout maîtriser. Un regard, un sourire, un mot, voilà ma part d'action. Tâche difficile que celle d'assister impuissant à la ruine d'un être aimé, de tenter de trouver le geste qui réconforte, tandis que le désespoir l'emporte! Le sourire fragile, la parole indécise, le soutien arrachés au prix de mille efforts paraissent vains, mais s'ils manquent, c'est que manque l'essentiel.

### *D'une gratuité insignifiante*
### *(ou le profit joyeux avant tout)*

Pour vivre, l'homme absorbe de la nourriture, la chose est entendue. Que dire du contact, des liens qui nous lient aux autres ? Dans le malheur, rien de plus précieux que la présence d'un être cher, l'écoute d'un proche. Sans ce soutien, l'homme cesse de croître, il dépérit. Mais le commerce avec autrui – par ailleurs si fécond – peut constituer un cuisant obstacle au progrès. Victime de la moquerie, des jugements, des condamnations, celui qui souffre s'enferme pour éviter toute nouvelle attaque. Ressentiments, amertume, solitude, honte, le tout finit par sécréter une carapace bien solide qui achève d'atrophier la sensibilité. « Protège-toi ! Blinde-toi ! », voilà le cri du cœur meurtri. Rassuré, me voici bientôt autiste, sous une carapace. Dans ma *forteresse vide*, imperméable à la tendresse, je demeure insensible à la blessure, à la moquerie. À trop vouloir fuir la méchanceté, la cruauté de certaines rencontres, je me coupe de l'affection, d'un réconfort. En me protégeant à l'excès des regards qui condamnent et humilient, je finis par fermer aussi les yeux qui aiment.

Pour celui qui ne jouit plus de l'aisance, de la liberté, de l'état d'esprit nécessaires pour la surmonter, la souffrance n'est qu'une atroce nuisance. C'est pourquoi il faut savoir compter sur autrui pour être capable, dans une situation difficile, de trouver les ressources pour en tirer profit. Le rôle vital de l'autre dans une épreuve ne saurait toutefois occulter un devoir premier : tout mettre en œuvre pour supprimer la souffrance.

Répétons-le ! La souffrance ne grandit pas, c'est ce qu'on en fait qui peut grandir l'individu. Nul besoin de souffrir pour s'épanouir, nul besoin de connaître l'isolement pour apprécier la présence de l'autre. D'éminents chercheurs ont dépensé temps et énergie à vanter les mérites de l'épreuve, les bienfaits de l'échec. Il faut faire ses expériences, dit-on. Certes, mais les accumuler ne suffit pas. On risque de trouver dans cette rhétorique une invitation à la fuite, un prétexte futile pour infliger des peines. Par un jeu de mots (*ta pathémata mathemata* : ce qui fait souffrir nous enseigne), les Grecs ont tenté de forger une attitude, bien plus subtile, à opposer aux tourments, à ce qui blesse et détruit. J'y trouve un outil. Nommée *algodicée*, elle part de l'expérience que voici : rien de pire qu'une souffrance gratuite, absurde, dépourvue de sens. Alors que la jeune mère oublie allégrement les douleurs de l'enfantement, que le trophée du vainqueur fait disparaître courbatures et égratignures, les souffrances gratuites et stériles ne s'effacent jamais. Elles nous dépossèdent, nous privent peu à peu de la liberté. Ainsi, face au scandale et surtout à l'absurdité de ce qui fait mal, les Anciens convient à tout mettre en œuvre pour rendre fructueux le moment douloureux. Il ne s'agit pas de courir à la recherche du danger, ni de se vautrer dans la souffrance, mais celle-ci s'imposant d'en profiter! Cioran donne un éclairage : « La souffrance ouvre les yeux, aide à voir les choses qu'on n'aurait pas perçues autrement. Elle n'est donc utile qu'à la connaissance, et, hors de là, ne sert qu'à envenimer l'existence[1]. »

Rien ne contredit plus l'*algodicée* que la résignation béate des fatalistes qui, devant la souffrance des autres, se voilent les yeux et ne font rien, de ceux qui, condamnant des victimes, ont tôt fait de les taxer d'incapables et oublient que la souffrance pèse, alourdit, engourdit. Trop souvent elle anéantit. À quoi bon jeter l'opprobre sur celui qui baisse les bras? Avant d'accuser la victime et prétendre qu'elle se complaît dans la souffrance, peut-être convient-il de s'assurer si ce que l'on qualifiait de complaisance ne relève pas, en ultime analyse, d'un désespoir abyssal. Prisonnier

---

1. Cioran, *De l'inconvénient d'être né*, Gallimard, 1990.

de la douleur, on perd aisément l'espérance et la force requises. Et chacun peut sombrer du jour au lendemain. On pourra ainsi toujours se demander pourquoi Primo Levi s'est suicidé après avoir tant lutté pour sa survie. On rapporte également que des prisonniers de guerre ne tardèrent pas, après leur libération, à commettre le geste fatal. Se peut-il que la routine, les creux du quotidien privent de l'essentiel : savoir pourquoi lutter, connaître sa raison d'être ? Doit-on comprendre que trop de lutte épuise et tue ?

Reste la souffrance qui terrasse, sur laquelle l'homme n'a aucune prise. Ne la réduisons pas par de vains discours. La souffrance *en soi* demeure injustifiable ! Elle n'enseigne rien à qui n'est que souffrant. S'il est indécent de faire l'apologie de la souffrance, les questions demeurent. Ici, encore plus qu'avant, une prudence extrême est de mise. Pour partir en quête de réponses – mais sans risquer de sombrer dans un silence d'abdication –, est-il bon d'avouer ma gêne et mon ignorance ? Celle-ci, immense, me porte à diriger mon regard vers les autres, c'est un fait. Si, fort heureusement, personne n'est *docteur ès souffrance*, certains individus m'en apprennent davantage que bien des ouvrages ampoulés sur le sujet. C'est vers eux que je veux me tourner pour le fabuleux défi de l'*algodicée*. Ne l'appliquent-ils pas déjà sur le terrain de la vie quotidienne ? Chacun apporte ainsi son sens à la souffrance. Pour tenter de le trouver, je pressens, pour ma part, que seul je ne puis rien. Il me faut donc trouver les armes que d'autres ont forgées, leur emprunter les outils du combat. La souveraineté de la joie peinte sur des visages meurtris par la douleur, voilà un remède ! Quand bien même j'aurais tout, je serais un être inachevé si cette joie me devenait étrangère. En lisant Bergson, j'ai trouvé une lumineuse confirmation : « La joie annonce toujours que la vie a réussi, qu'elle a gagné du terrain, qu'elle a remporté une victoire : toute grande joie a un accent triomphal[1]... » Ainsi la joie annoncerait-elle toujours le triomphe ? Paradoxe ! Souvent elle s'impose pleine et entière chez ceux que d'aucuns prennent pour des ratés, des moins-que-rien, des laissés-pour-compte, des « légumes », des malades. La vie a donc réussi ; là, dans la souffrance, dans l'incertitude, l'existence gagne bel et bien du terrain. Mes références sont trouvées, voilà des êtres qui tentent d'opposer au mal une réponse enviable.

Ne reste plus qu'à me mettre à leur école. D'abord, ce qui frappe, c'est leur réalisme. Loin de fuir dans l'illusion, ils affrontent la réalité au jour le jour avec humilité et humour. Difficile de

1. Henri Bergson, *L'Énergie spirituelle*, Alcan, 1929.

51

conserver ces deux atouts alors que tout va mal!
Pourtant, rien n'est plus précieux. S'il est un
nouveau concept qui occupe aujourd'hui maintes
discussions, c'est bien celui de *résilience*, à savoir
la faculté de s'en sortir en dépit des adversités.
L'*algodicée* me semble procéder de cette force à
l'œuvre chez les plus faibles, ceux que la vie a
érodés. D'ordinaire, on considère les individus
meurtris avec pitié. Leur handicap, pense-t-on,
les voue forcément au malheur, leur cécité leur
interdit la joie, leur maladie les prive de tout.
Mais qui s'approche d'eux, qui fait le premier pas
devra sans doute réviser son jugement. Un état
d'esprit insoupçonné l'attend. Pourquoi ne pas
s'en inspirer? Je me souviens volontiers de l'allé-
gresse que nous partagions, mes camarades et
moi. Pour célébrer une victoire, chacun de nous
hurlait (le mot est faible). On hurlait pour une
lettre d'un ami trouvée dans la boîte aux lettres, à
l'occasion d'une rencontre, à l'écoute d'une
bonne nouvelle. Se méprend qui réduirait à de la
puérilité pareille manifestation de joie. Elle révèle
simplement un étonnement permanent, un sentiment de reconnaissance.

Lorsqu'on consent à lutter avec le quotidien,
on finit inévitablement par se dépouiller, l'essentiel requérant une sorte d'ascèse de chaque instant.
L'*algodicée* est d'abord l'espérance exigeante que
l'épreuve qui m'accable ne m'anéantira pas. Je me

dois de lui opposer une résistance, de poursuivre à tout prix l'exercice de ma liberté, de ne pas me laisser vaincre afin de conserver ma joie comme une arme indispensable. Quelle délicate prouesse pour celui qui est frappé d'une maladie dégénérescente ou pour celui qui parcourt l'existence sans le soutien de personne !

Cioran a vu juste. Si la souffrance envenime l'existence, elle enseigne aussi. Mais comment, à mon tour, pratiquer l'*algodicée* ? Les faibles me montrent que tirer profit de la souffrance, c'est d'abord profiter, jouir de la vie. Célébrer ce qui en fait le prix.

*

Ce jour-là, un foyer pour personnes handicapées mentales m'invite pour une conférence. On vient me chercher à la gare, me conduit au foyer. Je m'installe dans une chambre. Le cafard m'envahit. Le passé, les dix-sept ans d'institution reviennent avec force. Dehors, les cris, les rires. Je ne peux me soustraire à l'angoisse. Je sors. De joyeux individus m'accueillent. Une jeune femme me plaque ses deux mains sur les épaules et lance : « T'es mignon, toi ! » Je souris, incrédule. Je bois un bol de chocolat. Les pensionnaires s'activent pour que l'hôte ne manque de rien et ils déploient avec abondance leur affection. Je suis apaisé.

Bientôt, les liens se créent. Vite, on va à l'essentiel, laissant là tous les vernis sociaux.

Le soir, je parle de Nietzsche, puis on danse, on rit. Ma partenaire dans sa joie brise son talon aiguille arboré seulement pour les grandes occasions. Débarrassée des escarpins, elle repart de plus belle. La fête bat son plein. Mon séjour se transforme peu à peu. Ces hommes, ces femmes qui peut-être représentent une honte pour leur famille m'enseignent à jubiler devant la vie, à prêter une subtile attention à l'autre. La souffrance est là, omniprésente. Mais les pensionnaires pratiquent le rire, cultivent la joie, l'amitié. La souffrance ici resserre les liens, force à inventer, à trouver le bon geste, l'attitude juste. Fasciné, je quitte le foyer. Dans le TGV, des cadres avec attachés-cases, des hommes, des femmes. Je traverse les wagons, titubant à cause de la vitesse. Ici, les visages tirent la gueule. Je perçois que le foyer est une exception avec ses rites, ses coutumes, ses pratiques, sa vie, ses êtres heureux par décision.

*

Si je me sens impuissant à l'endroit de ma propre souffrance, l'aide que je reçois m'invite à prêter attention aux blessures de ceux que je rencontre. Ainsi l'*algodicée* requiert ce va-et-vient salvateur qui seul permet de relever le défi ultime, sans cesse d'actualité : lutter contre le mal et profiter de chaque instant pour progresser. Nietzsche écrit : « J'entends dans la douleur le commandement du capitaine de vaisseau : *amenez les voiles !* L'intrépide navigateur homme doit s'être exercé à orienter les voiles de mille manières, autrement il en serait trop vite fait de lui, et l'océan l'aurait bientôt englouti[1]. » Dans *le Gai Savoir*, le philosophe ajoute toutefois qu'il est des « hommes héroïques » qui entendent le commandement contraire : lever les voiles.

---

1. Friedrich Nietzsche, *Le Gai Savoir*, in *Œuvres complètes*, Robert Laffont, 1993, t. 2, livre IV, § 318, p. 187.

## IV

# Du corps

### *Ce que le corps apprend*

Nietzsche a encore raison… Puisqu'on a « la philosophie de sa personne », le corps joue un rôle décisif dans la construction de soi et mérite toute mon attention. Envisager le corps après avoir abordé le problème de la souffrance reflète fidèlement l'expérience quotidienne : un obstacle se présente-t-il et le corps se montre aussitôt oppressant et massif. C'est que la souffrance (qui dévoile nos limites) place au cœur de ma quête le corps, compagnon noble qui cependant ne m'est pas toujours apparu comme tel.

Il s'impose en force : siège de la douleur, dispensateur du plaisir, fondement de l'être, le corps constitue une véritable conquête. L'apprivoiser, l'habiter peut-être, voilà encore une tâche impartie à l'apprenti qui se lance dans l'exercice du métier d'homme.

En naissant, chaque être humain hérite d'un corps, dirait La Palice. À de rares exceptions, tout le monde a deux mains, une bouche et deux oreilles… Mais précisément, c'est le corps qui fait aussi de chacun un être unique. Nul ne me ressemble, nul ne vit mon existence. Par un jeu de mots radicalement dualiste, que seule permet la langue grecque : *to soma estin hemin sema*[1], Platon veut faire du corps le tombeau de l'âme. En cela le philosophe me soutient-il dans ma quête ? Je tiens pour ma part à me référer au « légume », à celui qui *a priori* n'apparaît que comme un corps emprisonné, dépossédé de ce qui fait la grandeur de l'homme. Le « légume » ne parle pas, ne fait rien, il gît. Son énigmatique figure servira-t-elle de référence pour vérifier si le Grec dit vrai ?

On s'étonnera sans doute de me voir utiliser, pour parler du corps et l'apprivoiser, le modèle du « légume ». J'emploie ce terme dans sa crudité (sans jeu de mots) car les euphémismes ne sont pas de mise pour désigner ces personnes. Le mot trahit aussi tout le malaise, l'incompréhension, le dégoût qui leur sont associés. D'ordinaire, pour faire l'éloge du corps, on évoque l'image du sportif et du mannequin. Je cherche au contraire dans le « légume » ce qui fonde notre nature, je découvre dans sa constitution débile les pistes

1. Platon, *Gorgias*, Le Livre de poche, 1997.

d'une réflexion qui permet de cibler les prodiges que réalise le corps et de discerner la merveille qu'il représente.

*

Au fond du lit, des yeux humides fixent le plafond, le visage moite et grossi émerge des draps blancs. Une main raide reste parfaitement immobile pour ne pas entraver l'œuvre dérisoire du goutte-à-goutte. Dans la salle froide, au milieu des malades, je perçois le caractère sacré de l'être humain, du corps qui le constitue. Le corps à l'agonie que la vie déserte par petites étapes sournoises m'installe dans un sentiment étrange de respect.

Malgré la fragilité de l'existence, malgré mon corps tôt ou tard voué à un sort semblable, je sens naître une joie discrète. Moi, je vis et je peux encore lutter envers et contre tout. La chair qui vit ses dernières heures, les yeux bien-aimés qui vont bientôt se clore, l'espèce de sourire qui erre sur un visage déjà abandonné de toute force m'apprennent le respect. Le corps ne se réduit pas à un objet. Le sourire arraché au prix de grands efforts provient d'un cœur déjà lointain qui jadis a accompagné mes peines et mes joies. Le malade qui marche trop tôt vers la mort me lègue en héritage une redoutable exigence : jouir de mon corps.

\*

Un « légume » impose toujours à l'apprenti qui se lance dans l'étude du métier d'homme de prendre conscience de l'importance du corps, il l'invite à cesser d'en faire un objet de gêne, ni de culte d'ailleurs. À une époque où, comme le prétend l'historien Antoine Prost : « Avoir honte de son corps serait avoir honte de soi-même », le « légume » reste un scandale pour la raison. Mais qui côtoie les corps blessés pressent que l'être humain est son corps, mais que son corps est autre chose que lui.

Non, l'amas de chair nauséabond, les membres raides et immobiles ne résument pas le malade. Non, l'individu ne se réduit pas à la somme de ses actes. Si le « légume » ne produit rien, s'il ne gagne rien, en est-il moins homme ? Juger, sans autre forme de procès, seulement à l'aune de l'efficacité immédiate ravale la plupart des êtres faibles au rang de bons-à-rien.

La honte qui entoure le corps malade échappe d'ailleurs bien souvent à celui qui est bien forcé d'en jouir. Au milieu d'amis, frappés eux aussi par un dysfonctionnement physique, le corps lent ou difforme n'inspire nul opprobre. Il intrigue certes, mais jamais ne s'installe le malaise, jamais ne règne la moquerie. Membres atrophiés, prothèses, infirmités, voilà leur pain quotidien. Or, dans cet univers particulier, chacun de ces corps meurtris révèle une originalité. Curieusement, leur caractère unique convie encore au respect car chaque corps, aussi défectueux soit-il, appartient à une conscience toujours en lutte, toujours dirigée vers le progrès, à une source où puiser de la force pour mener à bien un combat joyeux.

C'est ici que le « légume » prend toute sa saveur. Quand sa volonté le porte à cent lieues, quand sa pensée l'élève vers d'irrésistibles promesses, son corps reste cloué, demeure là. Pourtant le sourire, la bonne humeur que ne peuvent divulguer ni un mot ni un geste, tout en lui célèbre le corps sans jamais l'abaisser. À son contact je comprends moi aussi que, handicapé à perpétuité, il me faut composer avec les mains trop gourdes, une voix qui déclenche le rire chez plus d'un, les jambes qui m'interdisaient jadis les jeux partagés avec les enfants, décidément trop lestes, de mon village.

Comment ne pas admettre que ce corps, même abîmé, m'assure d'éminents services ? Le « légume » m'en convainc pour de bon et de façon définitive : je me réjouis et parviens, grâce à lui, à mesurer le prix de pouvoir marcher, le bonheur de parler, d'ouvrir difficilement un tube de dentifrice ou de monter dans un train.

Or, un danger menace : m'estimer chanceux, n'est-ce pas taxer le « légume » de malchanceux et ainsi ne pas lui reconnaître une infime possibilité de bonheur, ne pas voir dans sa joie une invite à la jubilation ? L'exemple de l'aveugle qui à cause de son handicap développe un toucher extraordinaire est aussi mauvais : faire de la cécité une occasion d'exploiter des facultés supérieures ne saurait diminuer la peine qu'une telle privation engendre. Loin de moi donc l'idée de célébrer le handicap ou l'impuissance, de crier haut et clair que l'épreuve grandit. Pour qu'elle grandisse, je l'ai dit, une constellation d'aides est requise. La peur de devenir un « légume » par accident hante encore certaines de mes nuits.

*

Aimer un corps qui offre mille joies et en accepter un qui accuse une déficience nette, voilà qui est radicalement différent. Un corps qui n'est pas comme celui du voisin intrigue et choque. L'épreuve du regard – si dure – invite alors à emprunter des chemins de traverse. Éviter la foule, rester assis, immobile… Somme toute, assis, de dos et de très loin, je ne présente, pour ma part, aucun dysfonctionnement. Asservi de la sorte au regard d'autrui, je nie peu à peu au corps le droit d'être différent. Enfant, j'évitais les

cours d'école. Les groupes d'adolescents – si pro-
digues en moqueries, si meurtriers pour une
sensibilité déjà fragile – m'obligeaient à la dissimulation. La peur des blessures, le souci de me
préserver contrariaient fortement ma liberté,
et le mépris du corps risquait alors de primer.
C'est ici que le « légume » me rappelle à l'ordre.
Certes, il ne choisit guère d'habiter un corps
réduit, dépendant ; son unique choix porte sur la
façon de l'habiter. Pour lui, assumer cette condition résulte d'un état d'esprit bien plus subtil,
mille fois plus audacieux qu'une fuite devant des
regards stupidement niais.

L'attention au corps ne saurait cependant se
réduire à une esthétique du paraître, à une tech-
nique autosuggestive visant à se sentir bien dans
sa peau. De telles expressions épidermiques me
donnent de l'urticaire. Trop souvent elles sup-
posent, en effet, un rapport au corps qui tend à
le faire entrer dans un moule, oblige à effacer les
points sombres, à gommer les différences.

*

Celui qu'on réduit trop facilement à un tube
digestif vient par conséquent nuancer des idées
assassines comme « un esprit sain dans un corps
sain ». Bien sûr, ce proverbe entend décrire un idéal
vers lequel se diriger. Mais que dit-il du « légume » ?

Ma manière d'être, mes opinions ne prennent-elles pas naissance dans les replis de ma chair ? Le corps influe sur ma vision du monde. On pense toujours avec un vécu, avec son histoire. Même la personnalité la plus éthérée plonge d'obscures racines dans l'expérience d'un corps, d'une chair. Angoisses, peurs, désirs, convictions s'enracinent au plus profond de l'être et prennent naissance dans le corps, qui garde mémoire de tout. L'individu obtus, au comportement peu louable, l'angoissé chronique qui prête à rire luttent peut-être contre vents et marées pour surmonter une épreuve qui marque pour la vie. Pour ma modeste part, reste simplement à poursuivre le long travail qui fait du corps un allié fidèle, un ouvrier qui œuvre à notre bonheur.

Esprit né avec un corps secoué de spasmes, le « légume » pense. Par une curieuse alchimie son corps malade parvient à produire des idées limpides et à développer un état d'esprit libre de tout ressentiment. Il peut ainsi dépasser la révolte et exercer une liberté qui risque de lui permettre d'assumer jusqu'au bout sa précarité. Chaque victoire arrachée au déterminisme de la chair blessée renforce le consentement du corps livré aux soins d'autrui. Le « légume », de façon singulière, devient alors comme une source d'où sourd parfois un réconfort, même pour celui qui, jouissant pleinement de ses facultés, en méconnaît le prix et le sens. Rien ne s'oppose davantage à ce consentement que la passivité et la résignation. La liberté à l'œuvre participe de la lutte, d'une acceptation chèrement conquise, sorte de « dire oui » joyeux. Conscient de la difficulté du combat, chacun cherche ses armes. La plus belle consiste sans doute à rire de soi, à ne pas prêter le flanc au mépris de sa faiblesse.

Je vois encore ce corps forcément docile, allongé, tandis qu'on finit sa toilette, je le vois souverain dans sa vulnérabilité. Les bras immobiles, les lèvres closes communiquaient la joie, l'espérance et la force de tout le corps. On tentait d'y répondre par une caresse délicate, en ne percevant que trop bien qu'on profite peu du corps capable d'exprimer ce qu'aucune parole ne dit jamais.

Platon avait-il tort ?

Comme l'esprit, le corps travaille à la grandeur de l'homme.

# V

# Ce qui déforme

Dressé derrière un comptoir, j'accueille le flot de touristes qui emprunte quotidiennement le col du Grand-Saint-Bernard. Ce jour-là, un groupe venu d'Ukraine visite l'Hospice et son musée. Une danseuse aux cheveux roux et bouclés m'offre un sifflet de porcelaine que mes doigts manipulent avec le plus grand soin. La porcelaine virevolte, s'engouffre dans la bouche. Dans ma joie, je siffle à tue-tête. Le soir venu, dans le silence, la crainte me gagne. Je sens, logé sous la langue, un aphte. Et je me souviens de la mise en garde. Enfant, j'avais pris connaissance de l'existence d'un fléau qui se propage par le sang : le sida. Les bribes que mes jeunes oreilles avaient jadis recueillies sans les comprendre me font redouter le pire. Je porte l'angoisse une année durant, sans mot dire. Les jours se succèdent, les tourments demeurent. Un symptôme bénin apparaît-il, je l'attribue au mal qui pourrait œuvrer en moi.

Enfin, une publicité vient bêtement soulager la peur. Je compose un numéro de téléphone. Une voix blasée répond. J'expose le problème : « J'ai sucé le sifflet d'un autre et je crains pour ma santé. » Que dire de la perplexité de la voix devant le sens du mot « sifflet » ? Le malentendu vaguement dissipé, je me réjouis de la nouvelle ; mes jours ne sont pas comptés. Le poids insensé de cette angoisse infantile dissipé, la douloureuse méprise cesse sa torture.

La peur m'aurait-elle métamorphosé ? Dès les premières heures de l'existence, l'être humain se forme. Pour le petit être jeté dans l'existence, tout est formation, apprentissage. Il s'agit de développer ses facultés pour ne pas périr. Hélas, la quête s'arrête souvent là où commence l'âge adulte. L'habitude s'incruste, les réflexes opèrent, on se déforme, on est déformé… La construction de soi n'échappe pas à la règle. Devant la complexité de la tâche, je suis tenté de baisser les bras, alors que nul autre combat ne nécessite plus de soin. Chaque pratique réclame des compétences, exige un dur labeur. Socrate – avec l'insistance que seul donne un fervent espoir – conviait les Athéniens à se désintéresser des mesquines préoccupations pour s'attacher au véritable objet de conquête, le *souci de soi*.

Fidèle à mon vieux maître, je veux l'écouter et partir à la recherche de ce qui forme et déforme.

Chaque jour, je le pressens, je dois bâtir un autre rapport au monde, aiguiser mon regard, chercher comment conduire l'existence pour faire démentir les implacables prédictions qui peuvent peser sur une vie déformée par l'obstacle, la crainte et la faiblesse. Voilà peut-être l'ultime audace qui dévie des voies trop vite tracées. Le travail qu'appelait de ses vœux le va-nu-pieds d'Athènes relève d'une exigence vitale : apprendre à rester debout dans l'adversité, chercher le moyen d'établir des liens avec ses semblables, habiter les instants creux du quotidien. L'exercice est durablement périlleux.

Emporté dans un périple que je n'ai nullement choisi, j'assiste, souvent désarmé, aux événements qui s'enchaînent. Maintes fois, j'essuie des revers qui blessent. Suis-je pour autant condamné à un déterminisme qui ferait de l'homme le fruit des circonstances ? Les coups du sort me marqueraient-ils irrévocablement ? Je dois me former.

Deux êtres humains sont encore, paraît-il, suffisants pour faire un enfant. Balivernes ! Il en faut bien davantage. Il y a les rencontres qui intriguent, marquent et bientôt transforment, les personnalités qui fascinent et désorientent les destins. Dans ses *Pensées*[1], Marc-Aurèle consigne tout ce qu'il doit aux autres. Liste longue… Pour

1. Marc-Aurèle, *Pensées pour moi-même*, GF, 1992.

qu'elle soit exhaustive et fidèle, une bibliothèque entière suffirait à peine. Sous la plume de l'empereur romain, je devine que l'homme ne se construit que dans la présence de l'autre. Plus haut, en évoquant mes compagnons de combat, je suggérais combien ils m'ont constitué et soutenu. Quand l'existence cesse d'aller de soi, lorsque rien ne semble évident, la grande affaire consiste précisément dans le bon usage de ce monde dangereux et complexe. Observer l'autre peut devenir un recours pour celui qui se noie dans l'incompréhension ou se perd dans les plis de sa vulnérabilité.

Quand la volonté se brise devant la vanité de mille conquêtes quotidiennes, un regard vers un compagnon de combat procure de nouvelles ressources. L'autre, considéré ainsi comme un coéquipier, devient une référence, non pas le modèle que je dois suivre à tout prix, mais un être qui détient un atout qui s'avérera peut-être utile. Rencontrer devient dès lors l'occasion de façonner les outils pour forger une individualité.

L'éducation ne procède-t-elle pas de l'absorption ? L'autorité véritable d'un maître ne se fonde-t-elle pas avant tout sur le sentiment singulier qui porte à désirer devenir comme le maître ? Mais le maître ainsi entendu ne se rencontre pas nécessairement parmi ceux qui passent pour l'être. La lecture des penseurs contribue aussi à l'édification

d'une singularité. L'auteur que je découvre rejoint
son lecteur dans son humanité : pour parler
comme Pascal « ce n'est pas dans Montaigne, mais
dans moi, que je trouve tout ce que j'y vois[1] ». Il a
connu les joies de la nature humaine, ses peines, il
a affronté la solitude, surmonté l'échec, éventuel-
lement proposé une réponse à la mort. Il a souf-
fert d'une rage de dents, pleuré la trahison d'un
ami, craint pour sa peau. Aussi, lorsque je le solli-
cite, je rencontre un être de chair qui, comme
moi, a pris part à la longue suite des activités
humaines. Dans ses écrits, il me montre comment
il a assumé sa condition et m'invite à assumer la
mienne. Ainsi, je me forge grâce à autrui. L'un
pratique un humour qui assurément me plaît,
celui-ci jouit d'une confiance que j'estime. La
sérénité de celui-là me fascine. Tous dessinent
l'idéal auquel j'aspire. Augustin confirme : en me
conviant à « devenir ce que je suis[2] », l'autre révèle
ma nature.

Les *travailleurs sociaux* méconnaissent parfois
ce paradoxe. Aujourd'hui, il est par exemple de
bon ton de prôner, dans le milieu éducatif,
l'autonomie à tout prix. Cette démarche rompt
radicalement avec une éducation qui assistait
les individus. On s'efforce de nos jours à rendre
indépendante la personne. De ce principe appa-

1. Blaise Pascal, *Œuvres complètes*, Seuil, 1963.
2. Augustin, *Confessions*, Seuil, 1982.

remment frappé au coin du bon sens, d'aucuns
déduisent, sans nuances, que toute demande
d'aide, que tout aveu d'impuissance ébranlent et
asservissent, et c'est ainsi que l'on a bien trop vite
fait de célébrer *celui qui se bâtit tout seul*.

*

« La philosophie est fille de l'étonnement[1] »,
proclame Platon. Cette filiation, j'ai dû, à mon
grand étonnement, la vérifier à profusion…

Au sortir de l'internat, j'ai rencontré l'incon-
cevable étrangeté là où je n'attendais, à bon
droit, que la norme. Je croyais être formé. Assurément, je n'étais qu'un déformé parmi tant
d'autres. D'abord, le rapport à l'autre avait
changé. Pour m'y adapter, je me suis donc
plongé dans l'étude des codes sociaux ; j'obser-
vais sagement et devinais peu à peu les règles qui
semblaient régir le comportement de mes nou-
veaux camarades. Parfois, la naïveté persistait, je
m'avisais alors auprès d'un ami. Ainsi devant la
perplexité qui me gagna lorsqu'un camarade
m'avoua avoir consacré le samedi soir à « lever
des poules », j'enquêtai et appris, ahuri, que
le *don Juan* sévissait sur d'étranges volailles.

1. Platon, *Théétète*, GF, 1982.

Évidemment, le manque de repères ornithologiques pesait.

Les « professeurs d'intégration » abordent dans leurs doctes analyses mille détails, ils oublient seulement (avec une persistance qui les honore) les bagatelles qui constituent l'essentiel des propos tenus dans la cour de récréation. On reprocha donc bientôt à l'original qui s'écriait : « Qui est cette Dorothée dont tout le monde se rit ? » d'ignorer les rudiments, ces riens que tout écolier se doit de maîtriser s'il veut le respect de ses semblables.

J'ai vécu comme un défi cette période d'adaptation où l'adolescent se redéformait. La vie *extra muros* me trouvait désarmé, agité de mille peurs. Lors de mon séjour en pension, j'avais contracté une sorte de maladie : la méfiance tenace à l'endroit du monde. Mon emménagement dans un studio en ville s'accompagna inévitablement de quelques appréhensions. Bien sûr, il fallut trouver une astuce adaptée à tous les obstacles. Le combat, formateur, s'annonçait toutefois sous les meilleurs auspices, même si chaque difficulté exigeait force préparatifs… Un beau jour, une boîte de ravioli vint ruiner mes efforts. Récalcitrante, elle résistait, la conserve ! Après lui avoir asséné des coups à tuer un bœuf, après avoir été réduit à projeter le potentiellement savoureux projectile contre les murs de la cuisine, je me heurtai à un cuisant échec. Surmontant ma rage, je dus présenter l'objet à un voisin, démarche, vu l'état de la boîte, déplacée. On la jeta en moins de temps qu'il ne fallait pour l'ouvrir, on m'en offrit une autre en me priant à l'avenir de bien vouloir accepter de l'aide. L'impuissance me rapporta donc un bon repas. Et c'est ainsi qu'une nouvelle amitié naquit.

Un proverbe africain dit : « La main qui donne est toujours placée au-dessus de celle qui reçoit… » et, à tort, on m'a appris à ajouter : « … et l'humiliation n'est pas très loin. » Souvent, les stéréotypes, toujours déformateurs, sévissent. Malentendus et craintes compliquent les relations. D'abord, notre rapport au monde procède par réductions. Chaque jour, je dois recueillir, trier, sélectionner des informations en fonction de ce qu'il faut pour vivre. Ce travail oblige à fixer les priorités, à cibler les urgences. Je ne puis tout voir, tout comprendre, ni tout faire. J'organise alors mon monde, apposant sur la réalité des étiquettes, des mots à telle enseigne que bientôt je ne verrai plus qu'eux.

Les Anciens voyaient dans l'expérience le début de la sagesse. Pourtant, elle peut aussi amener à réduire l'être qui nous fait face à une étiquette : l'étranger, l'Ukrainienne au sifflet, l'ouvreur de boîte de ravioli… Mon histoire m'a sensibilisé à certains mots trompeurs. Souvent, je procède par raccourcis ou analogies, je projette, je déforme, je me mets à la place de l'autre. Le danger est évident : attribuer aux autres les caractéristiques de mon monde mental. Chacun est le fruit d'une histoire, d'un vécu particulier. Dans un univers de boiteux, celui qui marche droit passe pour anormal. Tout dépend des références de chacun. Longtemps, j'ai cru que les enfants naissaient nécessairement avec un handicap, visible ou non. Je me suis habitué, dès les premières minutes, à déceler la faille de mes nouvelles relations. La déformation opérait.

Outre la culture et les préjugés ambiants, le passé qui nous fonde influence le regard. Comment ne pas le subir ? Une mémoire qui n'oublie rien semble œuvrer à notre insu, se souvient des peines, se rappelle les pleurs. Ainsi l'enfant qui a essuyé nombre d'échecs aura peine à envisager l'avenir. Pour chaque joie, il craindra un retour de manivelle. Qui lutte au quotidien développe peu à peu la faculté d'anticiper les coups et, souvent, se prépare au pire. Les biographies les plus riches s'enracinent sur d'anciens fantômes qu'il s'agit de dompter. Ce dressage réclame un combat sans répit qui risque fort d'épuiser l'individu déjà fragilisé et l'empêche à coup sûr de goûter au repos. Difficile d'envisager la vie sereinement lorsque les revers de la fortune ont jalonné une enfance ! « Au réveil, si je me lève sans souci, je passe les premières minutes de ma journée à trouver un motif de tourment. Car une journée sans souci me fait peur. » Ainsi parlait un ami inquiet. Les échecs créent des êtres sans cesse aux aguets.

Dis-moi tes soucis et je te dirai si tu disposes d'une confiance primitive. Pour se détacher peu à peu de sa mère, l'enfant doit bénéficier d'une confiance qui lui permet d'affronter les peurs et de partir à la découverte du monde. Plus tard, à l'école, l'enfant fournit un effort, non seulement pour progresser mais aussi pour s'attirer une bienveillante attention. À quoi bon se surpasser si le progrès laisse indifférent ? Tout est ainsi lié au grand moteur, l'affection. Un pensionnaire chronique d'une institution s'exprimait à l'aide de pictogrammes. Privé de l'usage de la parole, il pointait avec son orteil de petits signaux qui constituaient son langage. Parmi les centaines de cases à disposition, on pouvait lire : médecin, logopédiste, physiothérapeute, ergothérapeute…, yaourt, sieste. Un observateur sensible aurait tout de suite constaté une cruelle absence : « papa », « maman » n'apparaissaient pas sur le tableau qui devait fournir les outils destinés à exprimer le monde. Derrière ce petit exemple se cache un drame répandu : affronter un monde, privé d'affection.

Aujourd'hui, alors qu'on a coutume de rappeler que le professionnel de l'éducation doit afficher une distance dite thérapeutique et prétendue féconde, il est bon de célébrer les mille bienfaits de l'affection. J'imagine la douleur, l'extrême désarroi d'un enfant avec pour seule perspective l'internat, le home à perpétuité. S'ils affichent la distance thérapeutique, les rares humains qui l'entourent le privent de l'essentiel, de la *nourriture affective* à partir de laquelle se développe une personnalité. Une telle privation marque un individu et l'imprègne pour la vie. Le passé finit alors par devenir un poids, un ensemble de réflexes qui programment, dénaturent et déforment la personnalité.

Quand la solitude, la méfiance, l'angoisse règnent, le monde prend une teinte funeste que seul un long travail de re-formation parvient peu à peu à dissiper. Partir dès lors à l'école de la vie, c'est se dépouiller, plonger dans le passé pour en tirer mille enseignements, laisser là le fardeau de l'échec, le poids des trahisons. Il convient de reconsidérer les faiblesses avec une exigeante indulgence. Ainsi, après avoir revisité ce que jadis nos jeunes oreilles ont appris, soupesé toutes les valeurs pour ne garder que celles qui grandissent, apprécié avec émerveillement les surprises et les richesses qui habitent un cœur, peut-être serons-nous prêts à savourer les joies, à affronter les peines, avec une légèreté formatrice.

# VI

# Mon semblable
# qui me veut différent

Sans l'autre, je ne suis rien, je n'existe pas. *Autrui* me constitue comme il peut me détruire. Derrière le mot, pompeux et galvaudé, se cachent mille visages et sourires, une multitude de relations possibles. Bien que je sois seul pour l'essentiel – je souffre seul, je mourrai seul –, la présence de l'autre jalonne mon existence.

Merleau-Ponty[1] souligne l'empreinte que l'homme laisse sur le monde : où irais-je pour que mes oreilles puissent se vider des rumeurs humaines ? Partout, on trouve sa trace : une bouteille vide, des rails de chemin de fer, tout rappelle l'omniprésence de l'autre, mon semblable. Semblable ? Encore et toujours le paradoxe : l'autre est mon semblable. Pourtant, un gouffre nous sépare. Vu, classé, catalogué *anormal* par le regard des badauds, je ressens avec

1. Maurice Merleau-Ponty, *Phénoménologie de la perception*, coll. « Tel », Gallimard, 1976.

intensité le phénomène. J'ai toujours abhorré les euphémismes : « Jollien, il est différent. » « Différent », le mot n'accompagnerait-il que les tares ?

Un poisson eut jadis la singulière idée de sortir des eaux primitives. On peut imaginer le regard que portèrent sur le prototype les autres poissons, conservateurs, pour qui l'eau confortable représentait la sécurisante et unique mer patrie… Le progrès vit donc le jour grâce à un poisson bien peu ordinaire, sorte extravagante de vilain petit canard des océans. Que penser de ces découvertes fortuites dues à l'exubérance de quelque original très souvent mis au ban de la société ? Il me plaît de songer que, avec son lot de douleurs, la différence engendre de sages inventions. Pour peu qu'on l'assume, elle prend une valeur heuristique. Prendre en charge la marginalité, la considérer comme un terreau fécond contre un conformisme réducteur, promouvoir la différence sans l'exacerber…, tout cela ne saurait cependant masquer la pénible réalité, celle de se sentir, à cause d'une tare vécue dans sa chair, marginal sous le regard d'autrui. Tomber dans l'anticonformisme, par exemple en clamant haut et clair comme je l'ai entendu : « Super d'être aveugle ! », n'est-ce pas donner précisément raison à ceux qui veulent enfermer la différence dans des ghettos ? N'est-ce pas occulter qu'elle ne peut élargir notre vision du monde, à moins que des liens ne se créent entre les individus ?

Je me prends à rêver de milliers de ponts jetés entre les diverses marginalités. Je me souviens de cet ex-toxicomane qui aujourd'hui soigne des enfants malades, je revois ses gestes amples et délicats, la profondeur de ses yeux qui reflètent la joie. Les univers s'approchent, les barrières peu à peu tombent, deux individus meurtris se découvrent semblables devant la différence.

*

La rencontre avec l'autre revêt de multiples formes qui s'enchevêtrent, se superposent, se contredisent : voir l'autre sur le mode de la visite au zoo, ou partir à sa découverte comme on pénètre dans une ville inexplorée. Le zoo, j'ai connu. La différence exacerbe les réactions : pitié exécrable, curiosité malsaine, préjugés, craintes, tout achève de rendre le rapport à autrui aussi artificiel que douloureux. J'ai même appris l'existence d'une sorte de musée, quelque part en Italie, qui exposait jadis la gent boiteuse, défigurée et naine. Vraiment, l'élan qui *a priori* pousse vers l'autre se décline de bien des façons ! Parfois, la méfiance le brise, surtout lorsque la convention ou la dissimulation pèsent de leur réticence inerte. Au moment de la rencontre, mille peurs, mille intérêts entrent en jeu. Quelle peine pour rétablir l'authenticité, pour que tombent les masques ! Bien souvent, il s'agit de casser la glace, d'opposer, d'imposer un démenti à la première impression.

\*

Rue de Rennes, je tente vainement d'arrêter un taxi. Les conducteurs ralentissent, observent le client éventuel, puis repartent. Après une longue et stérile attente, je décide de changer de stratégie. Je sors un billet de banque chiffonné que j'arbore fébrilement. L'hameçon s'avère vite efficace. Une Mercedes m'ouvre sa porte. J'indique ma destination. Le chauffeur ne dit mot. Dans son rétroviseur, il m'examine. Pour tuer le temps, je lis *Les Propos sur le bonheur* d'Alain. « Tu sais lire ? » dit-il. J'acquiesce. Le taximan se déride et demande bientôt mon métier. Je lui réponds pour résumer que j'étudie la philosophie. Il se lance alors dans une étrange confession, me confie ses problèmes familiaux. Il exige même des conseils. En dix minutes, le regard d'autrui m'avait confié le statut de débile, puis celui plus épineux… de conseiller conjugal.

La dureté de certains regards contraint à tout mettre en œuvre pour comprendre ce qui se cache derrière les yeux cruels. L'altérité – qui presque toujours s'impose – oblige sournoisement à développer maintes stratégies pour ne pas se laisser

anéantir. Des emplettes, la traversée d'une cour
d'école, tout devient un terrain d'entraînement,
un champ d'observations et de découvertes.
L'épreuve du regard n'est pas toujours aisément
vécue ; trop fréquemment elle représente même
un drame, et s'en libérer demeure peut-être l'apprentissage le plus délicat.

Lorsque je suis seul au milieu de la foule,
quand mes mouvements déclenchent le rire, je
comprends combien le regard détermine. L'autre
s'impose à moi. Sa présence devient un poids.
Comment changer les yeux qui pétillent de
moquerie, comment tolérer qu'autrui envahisse
ma vie en ne retenant que mon aspect risible ?
Les yeux que je vois pour la première fois
m'épient, se font ennemis ; s'ils ne me connais-
sent pas, ils révèlent pourtant la part d'ombre
désormais familière, acceptée et constamment
surmontée par mes amis.

L'expérience de marginal, l'obligation d'être
celui qui révèle la différence, d'être celui qu'on
classe comme anormal, résument la complexe
problématique. Sa vie durant, il doit tenter d'assumer la particularité, peut-être d'en faire un
atout. Mais toujours le regard d'autrui pèse et
risque de faire de lui un véritable « taré » social. Et
c'est imperceptiblement que, sur la différence ou,
pire, sur le handicap, se greffent les difficultés

insurmontables : autrui, fondement de ma vie, devient un obstacle, colle ses étiquettes dont l'effet néfaste blesse pour longtemps. Si le philosophe Alain a raison, si l'on s'empresse de ressembler aux portraits que les autres font de nous, comment le nain se considérerait-il l'égal de l'autre dans un monde où tout crie sa « petitesse » ?

*

Le handicapé ouvre une porte sur la condition humaine. Lui qui, avec une intensité sans pareille, est contraint de soutenir les regards des autres montre au commun des mortels les plaies qui enveniment ses rapports à autrui. En plus de la pitié, il subit l'infantilisation : présente-toi en titubant dans un restaurant, et pour peu que tu affiches l'air absent que donnent des mouvements brusques, le tutoiement t'accueillera ; c'est auprès de la personne qui t'accompagne qu'on s'enquerra du menu que tu as choisi ; par de discrètes attentions, c'est bien elle qu'on félicitera de sa disponibilité ou de son dévouement, supposant sans doute qu'elle travaille dans le « social ».

Semblable humiliation, répétée et répétée, sécrète la méfiance qui trop souvent enferme et rend suspect même le plus amical des tutoiements. Non, les hommes ne sont pas encore tous égaux aux yeux de la société, car certains discours persistent à installer le pauvre, le handicapé, le malade au rang de malheureux. Or, moi qui suis tout simplement incapable de taper dans un de ces maudits ballons qu'on se dispute sur un terrain de foot, je refuse quand j'accuse la société de marquer mon auto-goal. Qui serais-je pour la juger ? N'en fais-je pas partie ?

Il faut combattre l'idée qui, automatiquement, laisse entendre que chaque handicapé connaît un sort peu enviable. Voilà à quoi doivent contribuer les milliers de différents qui, dérangeant et bousculant les indifférents, sont bien forcés d'assumer leur fragilité avec joie et persévérance et savent aussi jubiler devant la vie.

Tout bien considéré, l'être humain n'échappe-t-il pas par nature à toute définition et à toute norme ? La beauté de chaque individu ne réside-t-elle pas précisément en sa singularité ? Je raconte souvent qu'à ma sortie de l'internat pour « êtres différents », je m'étais livré à un jeu passionnant, une sorte de quête insolite : je voulais enfin découvrir l'être humain normal. Comme mes camarades ne l'étaient sans doute pas, j'imaginais intérieurement que, pour ma traque de l'objet convoité, j'aurais bien plus de chances à l'extérieur… À ce jour, je n'ai pas trouvé. Cependant, je reste d'attaque et suis disposé à examiner toute candidature avec l'assurance amusée de ne jamais parvenir à mes fins.

Après cette découverte de la délicieuse anormalité des hommes, il convient – comme je l'ai souhaité plus haut – de ne pas sombrer dans l'anticonformisme systématique et de se montrer constant. Se libérer du regard qui blesse exige en effet une confiance en soi qui s'acquiert difficilement et risque de s'étioler bien vite devant des regards insistants. Comment faire pour se protéger ? Afficher un stoïcisme complet, se réfugier derrière armure et bouclier, demeurer indifférents à nos congénères ? Le repli ou la fuite, remèdes placebos à l'humiliation, génèrent un mal bien plus grand que la blessure qu'ils devraient soigner. Ainsi, je l'ai dit, celui qui fuit les railleries s'isole et se prive bientôt des sourires qui aiment, des bras qui se tendent. Là encore, nulle solution, nul antidote miracle au problème. Le combat reste inachevé. Chaque jour, il me faut affronter les jugements trop prompts et me remettre en cause. Après vingt-six ans de carrière, je ne m'habitue pas aux regards qui blessent ni ne me résous à pratiquer à mon tour l'indifférence.

L'amitié, rapport privilégié à autrui, est, parmi les outils existentiels, assurément le plus doux. Sel de la vie pour Aristote, elle dispense le réconfort dans l'adversité. Mais l'amitié est exigence. Elle attend tout de l'ami, met tout en œuvre pour qu'il devienne meilleur. L'ami propose une écoute bienveillante, prodigue conseils et soutiens, sauve et brise les solitudes, parce que de bons camarades se réjouissent ensemble. L'épreuve devrait les trouver réunis. Or il est facile d'être de bon conseil avec un autre ! Mais survient une difficulté dans notre vie, et la sagesse amicale risque de perdre de sa saveur. Difficile de comprendre la souffrance de l'ami sans minimiser la douleur qui le ronge. Dans une de ses lettres à un jeune poète, après avoir prodigué de féconds encouragements, Rainer Maria Rilke avoue avec une surprenante profondeur : « Ne croyez pas que celui qui essaie de vous réconforter vive sans effort parmi les mots simples et sereins qui parfois vous font du bien. Sa vie connaît tant de peines et de tristesses qui le laissent loin derrière elles. S'il en allait autrement, il n'aurait jamais pu trouver ces mots-là[1]. » Pourquoi cette mise en garde, sinon pour une raison paradoxale : il ne faut surtout pas que celui qui souffre aille croire que son ami qui le réconforte est au fond incapable de le comprendre. L'exigence rejoint ici le respect et la compréhension. L'ami exigeant ne condamne point la chute, pas plus qu'il ne tolère la résignation, mais celui qui l'écoute doit s'efforcer de le croire. Curieuse croyance. Singulière exigence qui œuvre, discrète et confiante, qui aide à assumer le poids et la richesse de ce qui nous fait autre.

1. Rainer Maria Rilke, *Lettres à un jeune poète*, Mille et une nuits, 1997.

# VII

# Le métier d'homme

Sacré métier d'homme! Joyeux et austère, il réclame un périlleux investissement de tous les instants. Je ne puis le cerner en quelques lignes. Semblable tentative procéderait d'une belle naïveté. Cependant, j'ai essayé à tâtons de trouver les armes d'un combat.

Mon incompétence m'a contraint à traiter sobrement d'un sujet pourtant si vital, si urgent. La difficulté appelle une mobilisation générale : l'existence et ses revers n'attendent guère. Tandis que j'achève l'ouvrage, la complexité du métier m'apparaît avec une vertigineuse clarté. Comment ne pas être terrassé ?

\*

Le combat et la joie qui surgissent d'une blessure assumée au quotidien invitent à recommencer sans cesse, à renouveler l'effort, à se remettre en marche et à bâtir sur la faiblesse. Bien des fois, on l'espère vaincue. On veut se hâter et tourner la page. Mais les plaies reparaissent et traversent l'existence. Et je dois me battre contre l'esprit de pesanteur. Cette gangrène intérieure voudrait suivre des modèles…, se cramponner aux fausses certitudes, prétendre tout maîtriser pour éviter la crainte qu'inspire cet éternel combat.

Sacré métier d'homme, je dois être capable de combattre joyeusement sans jamais perdre de vue ma vulnérabilité ni l'extrême précarité de ma condition. Je dois inventer chacun de mes pas et, fort de ma faiblesse, tout mettre en œuvre pour trouver les ressources d'une lutte qui, je le pressens bien, me dépasse sans toutefois m'anéantir.

« Les esprits valent selon ce qu'ils exigent. Je vaux ce que je veux[1]. » Paul Valéry vient ici à la rescousse en rappelant l'importance de la volonté. La volonté maintient le cap, elle donne la force pour développer de nouvelles stratégies, bref elle interdit d'abdiquer. Sans elle, ni combat ni victoire, l'affaire est entendue ! Pourtant, les difficultés ne disparaissent guère, loin s'en faut. Les blessures accumulées épuisent et me trouvent souvent désemparé et désarmé. Sollicitée à l'extrême, la volonté s'étiole, risque de mourir. Vorace, elle cesse – sans nourriture – d'être motrice. Exigence redoutable, pénible routine, il faut lutter, toujours.

1. Paul Valéry, *Mauvaises Pensées et autres*, Gallimard, 1942.

Le tragique de l'existence rappelle qu'il faut célébrer les occasions de jubiler et de faire jubiler. Offrir la joie là où s'imposent d'aventure la pitié et la tristesse. Lutter pour la vie, ne pas macérer dans le mépris. S'appuyer sur les mille petites joies de notre condition. Le métier d'homme, sujet grave, austère parfois, réclame donc un engagement constant, une légèreté qui veut jeter un regard neuf sur le monde. Regard dépouillé de tout artifice, de toute règle, sauf, peut-être, le précepte de Chamfort : « La plus perdue de toutes les journées est celle où l'on n'a pas ri[1]. » Le rire devient ici, avec la joie, l'arme que l'on oppose au découragement. À la différence de la moquerie, le rire rassemble, réunit, rend plus fort.

Ultime audace, le rire brise la routine et met à distance l'épreuve. À l'institut, l'absence pesait, les interrogations aussi. Les journées apportaient mille difficultés. Mais aucune, selon le critère de Chamfort, n'était perdue. Au contraire ! La vie devient douce grâce à l'humour. Rire et combattre sauvaient nos vies. Et si les deux allaient de pair, s'ils ne pouvaient se passer l'un de l'autre ?

Devant l'effort, lorsque tout réclame un labeur insensé, une seule certitude persiste donc : contre

1. Chamfort, *Maximes et Pensées*, Mille et une nuits, 1997.

tout, avec humour, l'appel du métier d'homme se fait insistant. Au combat donc, car tout est à bâtir avec légèreté et joie !

*À la mémoire de mon père.*

# Table

*La force du faible*, par Michel Onfray . . . . . . . 7

Avant-propos . . . . . . . . . . . . . . . . . . . . . . 13

   I. D'un combat joyeux . . . . . . . . . . . . . . 15

  II. De l'unicité de l'homme . . . . . . . . . . . 31

 III. De la souffrance . . . . . . . . . . . . . . . . . 37

 IV. Du corps . . . . . . . . . . . . . . . . . . . . . 57

  V. Ce qui déforme . . . . . . . . . . . . . . . . . 67

 VI. Mon semblable qui me veut différent . . . 79

VII. Le métier d'homme. . . . . . . . . . . . . . . 89

RÉALISATION : PAO ÉDITIONS DU SEUIL
IMPRESSION : NORMANDIE ROTO IMPRESSION S.A.S. À LONRAI (05-04)
DÉPÔT LÉGAL : OCTOBRE 2002. N° 52606-11 (04-1289)

Imprimé en France